Les hémérocalles

BENOIT PRIEUR

Les hémérocalles

Choix, culture et suggestions d'aménagement

Données de catalogage avant publication (Canada)

Prieur, Benoit

    Les hémérocalles: choix, culture et suggestions d'aménagement

    1. Hémérocalles.   I. Titre.

SB413.D3P74   1998   635.9'3432   C98-940089-1

Photos: Benoit Prieur

DISTRIBUTEURS EXCLUSIFS:

• Pour le Canada et les États-Unis:
MESSAGERIES ADP*
955, rue Amherst,
Montréal, Québec
H2L 3K4
Tél.: (514) 523-1182
Télécopieur: (514) 939-0406
* Filiale de Sogides ltée

• Pour la Belgique et le Luxembourg:
PRESSES DE BELGIQUE S.A.
Boulevard de l'Europe 117
B-1301 Wavre
Tél.: (010) 42-03-20
Télécopieur: (010) 41-20-24

• Pour la Suisse:
TRANSAT S.A.
Route des Jeunes, 4 Ter
C.P. 125
1211 Genève 26
Tél.: (41-22) 342-77-40
Télécopieur: (41-22) 343-46-46

• Pour la France et les autres pays:
INTER FORUM
Immeuble Paryseine, 3, Allée de la Seine,
94854 Ivry Cedex
Tél.: 01 49 59 11 89/91
Télécopieur: 01 49 59 11 96
Commandes: Tél.: 02 38 32 71 00
                Télécopieur: 02 38 32 71 28

Dépôt légal: 1er trimestre 1998
Bibliothèque nationale du Québec

ISBN 2-7619-1429-5

Table des matières

À Milan Havlin, architecte paysagiste,
pour la rigueur de son enseignement
et la grandeur de ses rêves

Demain est ainsi fait d'une multitude d'aujourd'hui.

Benoit Prieur

Remerciements

*Merci à Danielle Paquette, de Iris et Plus à Sutton,
et à Monique Désourdy, de Côté Jardin à L'Acadie, pour avoir permis
à mon appareil photo de jouer au voyeur dans leur pépinière respective.
Merci aussi à toutes les deux, ainsi qu'à Jacques Doré, des Jardins Osiris
à Saint-Thomas-de-Joliette et à Georges Gingras, des Fines Vivaces à
Saint-Nicolas, pour m'avoir assisté dans mes recherches.*

Des émotions pour tout le monde

Par définition, une émotion est momentanée. De là à dire qu'elle est de courte durée, voire éphémère, il n'y a qu'un pas, vite franchi par les amateurs d'hémérocalles. Quand on aime cet «état de conscience complexe», le jardinage devient un monde merveilleux où la floraison de chaque plante est à la fois prétexte et cause

Imaginez avoir chez vous une trentaine de variétés d'hémérocalles — vos couleurs préférées —, à raison d'un seul plant adulte de chaque. En plein mois de juillet, il vous faut carrément des vacances pour vivre intensément tout ce que vous inspire la naissance quotidienne de dizaines, de centaines de fleurs.

de tous les émois. D'où l'intérêt grandissant des jardiniers pour la création de plates-bandes et de jardins d'arbustes, de bulbes et de vivaces, dont l'épanouissement successif, de mai à octobre, apporte son lot de vibrantes sensations.

Les hémérocalles, aussi appelées «Beautés d'un jour» ou «Lis-d'un-jour», sont à elles seules un grand jardin. En raison de leurs grandes aptitudes à l'hybridation — l'hybridation commerciale a débuté à la fin du siècle dernier —, plus de quarante mille variétés ont vu le jour. Ce livre en illustre environ cent cinquante, celles qui m'ont le plus enchanté et dont plusieurs font partie de ma collection.

La plupart ne fleurissent que quelques semaines à partir de la fin de juin ou du début de juillet, d'autres étendent leur floraison de juillet à octobre, presque sans interruption. À raison d'une fleur par jour, l'enchantement est permanent. Ainsi, je commence mes journées estivales, faisant le tour du jardin, à l'affût et émerveillé, les yeux dans les corolles aux multiples teintes de jaune, orange, rouge, blanc, rose, mauve, violet.

Comble de l'excitation: parfois, sur un même plan, naissent simultanément des fleurs simples et des fleurs doubles, comme sur 'Jog On' ou 'Chicago Firecracker'. Il arrive aussi que, sur une même tige ou sur deux tiges voisines, trois, quatre ou même cinq fleurs s'ouvrent en même temps. Vous pensez alors que votre taux d'adrénaline est sur le point d'atteindre des sommets, mais c'est une illusion. Tant que vous n'aurez pas admiré les mille et une façons dont le soleil, à différentes heures, modifie les silhouettes et crée des effets spectaculaires de transparence avec les pétales et les étamines, jamais vous ne pourrez prétendre avoir ressenti l'extase en présence hémérocalles.

À voir à quelle vitesse l'engouement pour ces plantes magnifiques gagne les jardiniers des villes et des campagnes —

comme ceux dont les créations embellissent ce livre —, il est clair qu'hommes et femmes, indistinctement, succombent à leur charme, à leur élégance, à leurs couleurs, parfois à leur parfum et à leur délicatesse gastronomique. En outre, les hémérocalles ont toujours été à la hauteur de leur réputation, si peu difficiles à cultiver qu'elles font dire aux amateurs facétieux que, pour rater une culture, il faut quasiment le faire exprès!

Les pétales et les sépales des hémérocalles indigènes sont parfaitement comestibles, à condition bien sûr de ne pas avoir été en contact avec des pesticides. Il suffit de les cueillir pour les déguster. Le goût ne vous renversera pas (il est assez neutre), mais vous aurez un succès fou en servant comme entrée des fleurs entières farcies avec une salade d'endives et d'asperges, ou bien séchées pour garnir des poitrines de poulet ou du rôti de bœuf.

'American Belle'

Première partie

Techniques

Pour acheter sans se tromper

Comme pour tous les autres végétaux, lorsqu'on achète des hémérocalles en pépinière, il convient d'abord d'observer leur apparence et leur état de santé. Mais pour mieux appliquer les soins spécifiques à chaque variété et à chaque plant, et leur assurer une longue vie et une floraison abondante, le jardinier devra se montrer un peu plus vigilant.

RENSEIGNEMENTS INCONTOURNABLES

Les producteurs sont unanimes: il faut d'abord s'assurer que le nom et la couleur sur l'étiquette correspondent bien à la variété proposée. Acheter des plants en fleurs est donc fortement conseillé. Il faut ensuite connaître les caractéristiques de chacune:

- la hauteur totale, fleurs comprises (de 30 cm à 1,20 m, pouvant aller jusqu'à 1,50 m), variable selon l'ensoleillement et la nature du sol.
- l'époque de la floraison (voir le chapitre *Les prouesses de la floraison* en troisième partie).

Ce n'est pas tout: les trois caractéristiques génétiques suivantes constituent des critères de choix importants.

Il existe une foule de variétés dont les couleurs se ressemblent. Il est donc difficile d'être parfaitement catégorique quand on essaie d'identifier une variété sans exactement savoir à laquelle on a affaire. Il y a bien la photo sur la petite étiquette. Encore faut-il qu'elle ne soit pas délavée et... que ce soit la bonne. Choisissez un détaillant fiable et faites-lui confiance.

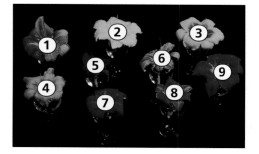

1. 'Cedar Waxwing'
2. 'Demetrius'
3. 'Coup de cœur'
4. 'Cannelle'
5. 'Red Toy'
6. 'Fulva'
7. 'Baja'
8. 'Jog on'
9. 'Red Emperor'

Dormante ou persistante

Selon diverses sources, toutes les hémérocalles indigènes sont originaires d'Asie et ont essaimé en Europe et en Amérique du Nord au moment des grandes migrations et des explorations. Certaines espèces sont nordiques: leur feuillage meurt quand elles entrent en dormance, en hiver. D'autres sont tropicales: sous les tropiques, leur feuillage est vert toute l'année; on dit alors qu'il est persistant.

Sous notre climat, les variétés issues des premières sont généralement très rustiques, alors que les descendantes des secondes doivent être protégées en hiver avec un paillis. Quoi qu'il en soit, le feuillage des unes et des autres meurt avant l'hiver. Voilà pourquoi il est essentiel de savoir si la variété qui vous intéresse est dans la catégorie des dormantes, des persistantes ou des semi-persistantes (croisements entre les deux autres).

Diploïde ou tétraploïde

Le patrimoine génétique des hémérocalles indigènes est composé de onze paires de chromosomes: ce sont des plantes diploïdes. Au fil des années, les hybrideurs ont obtenu des variétés possédant le double de chromosomes: on les appelle tétraploïdes. Pour obtenir ce résultat, les obtenteurs des années cinquante et soixante ont traité les graines de diploïdes avec de la colchicine. Cette substance, extraite des colchiques, les fameux «crocus d'automne», est également reconnue depuis le début du XVIe siècle pour contribuer à l'élimination des symptômes de la goutte et des rhumatismes.

Lesquelles sont les meilleures? Si l'on en croit les producteurs, les différences de couleur, de grosseur et de vigueur sont tellement subtiles et subjectives qu'elles ne sont pas vraiment significatives. En revanche, les collectionneurs ne s'entendent pas sur cette affirmation.

Le véritable critère reste votre appréciation personnelle, que vous soyez attendri ou simplement admiratif.

Vous pouvez aussi vous adonner à un petit jeu amusant: choisir les variétés en fonction de leur nom et, pourquoi pas, créer des plates-bandes thématiques. Voici trois suggestions:

- Plate-bande de l'exotisme: 'Sombrero Way', 'Chicago Apache', 'Baja', 'Tijuana', 'Rock Canyon', 'Chicago Orchid'.
- Plate-bande de fruits: 'Ruffled Apricot', 'Orange Slice', 'Melon Rice', 'Chicago Peach', 'Apricot Beauty', 'Wine Festival'.
- Plate-bande de l'amour et de la sensualité: 'Coup de Cœur', 'Cherry

Cheeks', 'Provocante', 'Prairie Belle', 'Foolish Pleasure', 'Encore et encore'.

Ancienne ou nouvelle

Les producteurs d'hémérocalles mettent un point d'honneur à toujours offrir de nouvelles variétés. Cela oblige à instituer deux autres catégories d'hémérocalles: les récentes, sorties depuis moins de 10 ans, et les plus anciennes.

Encore là, c'est une question de choix personnel. On n'empêchera sans doute pas un certain snobisme pour la nouveauté à tout prix, mais, finalement, la beauté d'un jardin réside dans la diversité et non dans une mode passagère.

MISE EN GARDE

Des passionnés d'hémérocalles ont constaté qu'il est risqué d'associer dans une même plate-bande des hybrides anciens et des hybrides récents. Les premiers, généralement plus vigoureux, ont une tendance marquée à envahir les seconds qui sont souvent plus florifères et produisent des fleurs aux coloris plus spectaculaires. Ce n'est peut-être pas systématique, mais il est préférable d'en tenir compte.

CHOIX DES PLANTS

Les plants en pots

Le point le plus important à observer est l'enracinement. Les rhizomes charnus contiennent des réserves nutritives qui alimentent les hémérocalles quand elles commencent à pousser au printemps. Ensuite, les racines et les feuilles prennent le relais pour soutenir la croissance et la floraison. Par conséquent, au moment d'acheter, vous pourriez éventuellement tomber sur des plants qui ont quelques feuilles mais peu ou pas de nouvelles racines. Cela ne les empêcherait pas de pousser chez vous, mais la reprise risquerait d'être laborieuse. Si vous attendiez de vos nouvelles acquisitions qu'elles vous gratifient de quelques fleurs, cela risquerait d'être franchement compromis. En revanche, une bonne masse de racines ne tardera pas à explorer le sol de vos plates-bandes et à s'installer profondément pour vous assurer une abondante récolte de fleurs, peut-être pas l'année de la plantation mais les années subséquentes.

Détail à ne pas négliger: choisissez les pots contenant des plants assez gros ou mieux, des plants doubles. Cette photo représente un jeune spécimen de la variété 'Altitude' fraîchement planté, que l'on aurait pu diviser pour obtenir deux plants.

Les plants en mottes

Si ce n'est déjà fait, offrez-vous un des plus grands plaisirs que puisse vivre un amoureux des hémérocalles. En été, quelques rares producteurs ouvrent leurs champs au public pendant quelques semaines. Tout en vous promenant, vous attachez des sacs en plastique autour des touffes que vous aimez. Plus tard, un employé les déterre à la bêche, les met dans les sacs, vous fixe un prix tout en ayant auparavant identifié les variétés.

On obtient aussi des plants en mottes lorsque l'on arrache des vieilles touffes, soit pour les déplacer, soit pour les diviser, soit pour en donner aux amis. Si la transplantation est retardée, il est bon de les laisser dans un sac en plastique, mais ce n'est pas une règle absolue. Quand la terre est humide, il suffit de placer les plants arrachés à l'ombre en attendant. De plus, on a déjà observé que des mottes oubliées sous les arbres à l'automne poussaient sans problème au printemps après avoir passé l'hiver sous la neige.

Les plants à racines nues

Certains producteurs vendent leurs plants à racines nues: ils arrachent des petites touffes dans les champs, en lavent les rhizomes et vous les remettent, proprement identifiées, dans des sacs en plastique.

Que faire de ces petits bouts de plantes nus? Rassurez-vous, ils ne sont pas aussi vulnérables que vous le pensez. Il a été en effet prouvé, hors de tout doute, qu'ils peuvent rester 3 ou 4 semaines sans soin particulier dans un endroit frais et sec, par exemple, dans une glacière en styro-mousse (sans glace!). Quand on les sort, le feuillage est sec, mais, grâce aux réserves nutritives contenues dans les rhizomes, de nouvelles feuilles apparaissent 3 à 5 jours après la plantation.

POUR VOUS FACILITER LA TÂCHE

Si vous souhaitez diviser une motte fraîchement arrachée, vous ferez un travail plus précis et plus soigné en débarrassant les racines et les rhizomes de la terre qui les enveloppe et en les lavant ensuite. Vous verrez alors comment les jeunes plants sont imbriqués et vous n'aurez aucun problème à les séparer. Un petit coup de couteau ici et là pour démêler les récalcitrants, c'est tout le mal que vous aurez. Vous ne serez même pas obligé de couper les feuilles et vous aurez fait un geste de prévention en éliminant ainsi les mauvaises herbes qui auraient pu s'infiltrer dans la masse.

Évidemment, la reprise est meilleure si vous plantez le plus rapidement possible après le lavage des racines. Par exemple, si la floraison est en cours, les fleurs continueront à s'épanouir quotidiennement comme si de rien n'était et, d'après les spécialistes, vous pourriez procéder immédiatement à l'hybridation.

Mieux encore: des bruits courent que de jeunes plants fraîchement lavés, posés sur le sol dans un endroit mi-ombragé et abandonnés par mégarde, s'étaient remis à pousser, le corps exposé, et avaient même eu l'audace d'émettre une mince hampe florale. N'est-ce pas admirable?

'Magic Dawn'

La culture en général

Ce chapitre est quasi superflu tellement les hémérocalles se montrent complaisantes avec les jardiniers, même avec les débutants ou les maladroits. On peut les planter, les transplanter, les diviser n'importe quand. Elles sont très prolifiques. Elles poussent presque n'importe où et, si elles attirent irrésistiblement les amateurs, elles sont boudées par les insectes et les maladies. Le paradis en est plein, et les jardins sans souci, aussi.

Cette touffe de 'Red Cup' reçoit tellement peu d'ombre passagère qu'on peut la considérer vivant en plein soleil. Toutefois, le feuillage se trouvant du côté du sous-bois risque d'être à la fois réduit et mou en raison de l'ombre dense qui règne là en permanence.

L'ensoleillement

Les hémérocalles peuvent supporter trois types d'ensoleillement:

- Le plein soleil: c'est l'exposition idéale. Toutefois, si la terre de votre jardin est plutôt légère, voire sablonneuse, vous avez intérêt à planter vos lis-d'un-jour dans un endroit légèrement ombragé où la terre sèche moins vite.
- L'ombre passagère: il s'agit d'une ombre dense qui se déplace au même rythme que le soleil. Elle est formée par un arbre ou une construction et ne devrait pas couvrir les hémérocalles plus de 6 à 8 h par jour, en plein été.

- L'ombre légère: c'est une ombre, permanente ou non, formée par des arbres à ramure légère comme les féviers ou par des arbres plus compacts dont on a coupé les branches basses jusqu'à 3 ou 4 m du sol. La lumière qui passe sous la ramure est assez forte pour induire une vigoureuse floraison.

Voici un exemple parfait d'ombre légère sous des arbres assez hauts. Les plants du devant de la plate-bande reçoivent le plein soleil une bonne partie de la journée et sont beaucoup plus florifères que les autres qui vivent seulement à l'ombre légère.

Ces hémérocalles sont situées sur le passage de l'ombre de plusieurs arbres, une ombre relativement légère à cause de la distance. Elles reçoivent aussi une bonne dose de soleil direct. Une combinaison gagnante.

Le sol

L'idéal? Un sol consistant, légèrement argileux comme le long des fossés, un sol frais qui garde bien son humidité et qui peut être détrempé pendant de courtes périodes. Toutefois, si vous installez vos hémérocalles dans une terre plus ou moins sablonneuse, elles s'en contenteront, mais leur floraison s'en ressentira en qualité et en quantité.

Pour mettre toutes les chances de votre côté — et du leur — et pour éviter d'avoir à arroser tous les jours pendant les canicules, rendez la terre plus consistante en ajoutant un mélange de vieux compost, de tourbe de sphaigne (juste un peu) et d'argile séchée et émiettée. Au besoin, faites faire une analyse du sol pour mieux évaluer la proportion de ces ingrédients à incorporer au moment du bêchage.

En fin de compte, le jardinier doit améliorer sa terre sans que cela ne devienne pour autant une obsession — l'hémérocalle n'en demande pas tant. Juste assez cependant pour que les plants puissent obéir sans entrave à leur «instinct» naturel qui consiste à s'enraciner assez profondément, puis à s'étendre rapidement jusqu'à 30 à 40 cm de largeur et, enfin, à faire remonter ici et là des racines et des rhizomes avec de nouveaux plants à leur extrémité.

Tout ce beau monde grossit en même temps et occupe l'espace disponible en formant une touffe si dense qu'elle peut parfois venir à bout des mauvaises herbes qui auraient osé s'y aventurer. À condition, évidemment, qu'avant la plantation, vous ayez pris soin d'éradiquer le chiendent de vos plates-bandes. En cas d'infestation grave, retardez votre culture d'une saison, semez du sarrasin qui étouffera tous les indésirables, puis enfouissez-le 2 ou 3 mois plus tard en bêchant.

'Apricot Beauty'

Plantation et transplantation

Planter des hémérocalles n'a rien de sorcier. Le geste le plus important — bien qu'en la matière, elles ne soient pas exigeantes — consiste à préparer la terre qui les recevra: l'enrichir, si c'est nécessaire, et l'ameublir par un bon bêchage. Une terre souple facilite la pénétration et l'expansion des racines. On plante les plants différemment, selon la façon dont ils se présentent.

Époque de plantation
On peut commencer à planter les plants bien enracinés (en pots généralement) dès le début du Printemps 1, déterminé pour toutes les régions par le *Guide Prieur saison par saison* (voir annexe 1).

Distance de plantation
L'intervalle entre deux jeunes plants d'hémérocalle varie approximativement entre 50 cm et 70 cm. Il dépend de deux facteurs: la hauteur des plants adultes et l'effet recherché (plantation massive sur un grand espace ou disséminée sur un espace restreint, parmi arbres, arbustes et autres vivaces). Si vous plantez deux variétés côte à côte, additionnez leur hauteur, divisez par deux et faites un calcul proportionnel entre les extrêmes de plantation indiqués plus haut.

Les plants en pots
La disposition
- Posez pots et plants sur la terre fraîchement remuée aux endroits que vous aurez choisis, en tenant compte des distances de plantation.

- Reculez-vous de quelques mètres et observez l'effet produit. Essayez d'imaginer les plants adultes. Remaniez l'agencement jusqu'à ce que vous soyez satisfait. Au besoin, attendez le lendemain pour réviser votre œuvre.

La plantation proprement dite
- Commencez toujours par le fond de la plate-bande.
- Quand vous êtes prêt, saisissez un pot d'une main et retournez-le. Tout en le retenant, prenez la touffe de feuilles entre l'index et le majeur de l'autre main en serrant doucement (voir le croquis).
- Continuez à serrer la plante, donnez quelques tapes sur le fond du pot, puis, en tirant sur celui-ci, esayez sans forcer de libérer la motte. En cas de

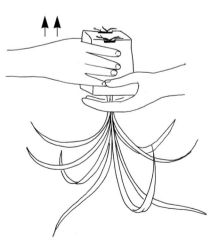

Dépotage d'une hémérocalle.

résistance, remettez le plant à l'endroit, sans lâcher les feuilles, et frapper le bord du pot vers le bas. Au pire, cassez-le.

- Avec votre main libre, creusez un trou dans la terre, à peine plus gros que la motte.
- Posez les racines au fond du trou de manière que le dessus de la motte soit légèrement plus bas que le niveau du sol tout autour.
- Remplissez le trou, tassez sans forcer avec le bout des doigts.
- Faites une cuvette de 2 à 3 cm de profondeur de la largeur de la motte.
- Arrosez copieusement.

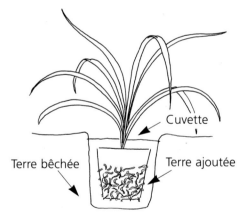

Cuvette

Terre bêchée

Terre ajoutée

POUR VOUS FACILITER LA TÂCHE

Comme pour n'importe quelle plante, vous pourriez verser un peu de poudre d'os fossile au fond du trou pour aider les racines à se développer rapidement. Cependant, les hémérocalles s'installant facilement n'importe où, un peu de bonne terre suffit pour leur assurer une excellente reprise.

Les plants en mottes
La préparation

- Si vous utilisez les mottes telles quelles, peu importe leur grosseur, recoupez l'extrémité du maximum de racines qui auraient pu être déchirées lors de l'arrachage. Une coupe nette se cicatrise mieux qu'une plaie déchiquetée.
- Si la motte est grosse, divisez-la avec un couteau en sections de 10 à 15 cm environ de diamètre, comprenant chacune quelques rhizomes et quelques feuilles.

La disposition

Utilisez la même méthode que pour les plants en pots.

La plantation proprement dite

- Faites un trou et posez les racines au fond de manière que le dessus de la motte soit légèrement plus bas que le niveau du sol (voir le croquis).

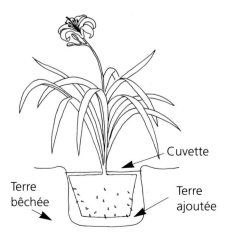

Cuvette

Terre bêchée

Terre ajoutée

- Remplissez le trou, tassez sans forcer avec le bout des doigts.
- Faites une cuvette de 2 à 3 cm de profondeur, de la largeur de la motte.
- Arrosez copieusement.

Les plants à racines nues

La préparation

Avec un sécateur bien aiguisé, recoupez l'extrémité des racines ou des rhizomes.

La disposition

Il est difficile de se faire une idée de ce que pourra devenir une plate-bande quand on couche les jeunes plants sur le sol. Limitez-vous donc à respecter les distances de plantation et faites confiance à votre intuition. Il sera toujours temps de diviser ou de déplacer les sujets qui auront pris un peu plus d'ampleur que prévu.

La plantation proprement dite

- La grandeur du trou est délicate à évaluer. Il faut tenir compte de la dimension de chaque plant et de la longueur des parties souterraines. La profondeur tient compte du fait que, une fois la plantation terminée, le point d'intersection entre les feuilles et les racines doit se trouver légèrement plus bas que le niveau du sol environnant. La largeur, quant à elle, est établie de manière que les racines puissent s'étaler au fond du trou, une fois la base des feuilles assise sur un monticule de terre (voir le croquis).

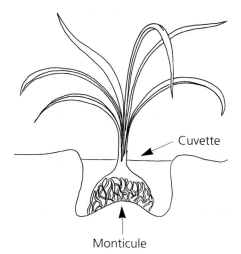

Cuvette

Monticule

- Remplissez le trou, tassez sans forcer avec le bout des doigts. Assurez-vous que la terre enveloppe bien les racines.
- Faites une cuvette de 2 à 3 cm de profondeur, de la largeur du trou.
- Arrosez copieusement.

Transplantation

La façon idéale de transplanter inclut trois grands points:

- faire une grosse motte pour obtenir le plus possible de racines;
- ne pas casser de rhizomes pour assurer une bonne reprise;
- opérer rapidement pour éviter le dessèchement de la plante.

L'époque

La transplantation peut avoir lieu presque n'importe quand en cours de croissance, même en pleine floraison. Mais vous devriez vous imposer une limite en fin de saison: pas plus de 10 à 15 jours après la date du début de l'automne telle qu'elle a été établie pour votre région dans le *Guide Prieur saison par saison*. En effet, il est essentiel que les plants soient bien établis avant l'hiver si vous voulez qu'ils démarrent vigoureusement au printemps.

Méthode d'arrachage

On transplante une hémérocalle pour plusieurs raisons: parce qu'elle dérange, pour lui donner une meilleure terre ou pour l'offrir à quelqu'un. Voici les étapes à suivre:

1- Munissez-vous d'une bonne bêche tranchante.
2- Creusez à l'avance le trou qui recevra l'heureuse élue.

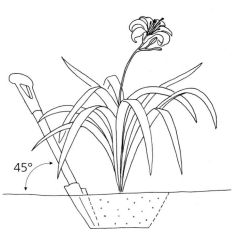

45°

3- Autour d'une petite plante, enfoncez la bêche en cercle à 10 cm environ de l'extérieur de la touffe; autour d'une grosse, jusqu'à 15 à 20 cm. Inclinez la bêche à 45° en la dirigeant en dessous de la plante (voir le croquis).
4- Quand le cercle est terminé, vous devriez être capable de soulever la motte et de la sortir de terre.
5- Suivez ensuite les indications données pour la plantation des plants en mottes.

La naturalisation

Naturaliser, c'est acclimater de façon durable. Autrement dit, pour une plante, c'est la faire pousser là où elle n'a pas l'habitude de vivre. Cela peut être sous un climat différent ou un nouveau micro-environnement. Voici quelques exemples.

À l'orée d'un bois récemment défriché, le jardinier a naturalisé des hémérocalles et des monardes. La terre est un peu lourde et caillouteuse, mais ces plants, qui ont deux printemps, sont bien établis. Ils font face au sud-ouest et fleurissent sans se faire prier même si, en plein été, ils trouvent la terre un peu chaude et sèche. Les fougères qui les accompagnent sont indigènes (dryoptéris) et ont été conservées volontairement pour créer un contraste de feuillages et des effets de surprise. Évidemment, il est conseillé de désherber régulièrement ou, pour réduire les effets de sécheresse et l'impétuosité des mauvaises herbes, d'étendre un paillis qui s'harmonisera avec l'allure naturelle de l'ensemble.

A priori, il n'y a pas d'obstacle à naturaliser des hémérocalles dans une **pelouse**. Tout dépend de la bonne volonté du jardinier. En effet, la partie la plus compliquée sera de passer la tondeuse autour des plants sans les réduire en charpie. Pour le reste, tout est simple: dégagez un cercle de gazon de 50 cm au moins de diamètre, bêchez sur 30 cm environ de profondeur et plantez un sujet adulte ayant une motte de plus de 20 cm de diamètre. Il n'est pas recommandé d'enfouir du compost, car celui-ci risquerait de stimuler la croissance de la pelouse au détriment des hémérocalles. Désherbez les alentours pendant deux saisons consécutives. Une fois les plants bien établis, laissez la pelouse en faire à sa tête. Pour réduire l'entretien, pratiquez la naturalisation, selon les mêmes principes, dans une prairie naturelle ou recomposée.

À la Seigneurie des Aulnaies, dans le bas du fleuve, les hémérocalles sont reines (voir le chapitre *Inspiration des grands jardins* en deuxième partie). Elles jaillissent ici et là, aux endroits les plus inattendus, comme ici, au pied d'un pommier. Le tronc de l'arbre étant dégarni, elles reçoivent donc assez de lumière, et l'eau des fortes pluies peut se rendre jusqu'à leurs racines. Elles ont eu raison des quelques brins de mauvaises herbes qui végétaient sans espoir. À peu de chose près, elles ont réussi à monter le spectacle qu'on leur avait commandé.

Culture au balcon

Parmi les vivaces qui réussissent bien en pots, les hémérocalles donnent des résultats qui ne satisferaient sans doute pas les mordus de concours, mais elles produisent assez de fleurs pour séduire ceux et celles qui ne demandent qu'à s'émerveiller.

Les variétés de petites dimensions, comme ici 'Stella de Oro' (étoile d'or), se comportent plutôt bien sur les balcons.

Les meilleures

Toutes les variétés peuvent pousser en pots, mais comme les espèces indigènes (*Hemerocallis fulva*, orange et *Hemerocallis flava*, jaune) sont généralement plus fortes que les hybrides, elles s'accommodent plus facilement des contraintes de la vie en vase clos.

La technique

- Si vous vous procurez des plants en pots de 10 cm, en petites mottes ou à racines nues, utilisez des pots de 20 cm de diamètre; pour ceux de 15 cm ou en grosses mottes, prenez des pots de 25 cm.

POUR RÉDUIRE L'ENTRETIEN

S'il s'agit d'un pot noir, il est préférable de le prendre trop gros plutôt que trop petit. En effet, un bon volume de terre humide peut servir de climatiseur et de réserve d'eau pour les racines qui subissent par ailleurs la température élevée due à l'action des rayons du soleil sur le contenant.

- On obtient de meilleurs résultats sur les balcons exposés à l'est, à l'ouest, au sud-est et au sud-ouest. L'exposition plein sud peut provoquer des problèmes de chaleur excessive dans le pot, tandis qu'au nord, la lumière risque d'être insuffisante.
- Le terreau doit être riche mais pas trop, léger et bien garder son humidité. Il pourrait contenir, par exemple,

20 % de compost, 20 % de vermiculite, 20 % de perlite, 10 % de tourbe de sphaigne. Le 30 % restant serait composé de terre de jardin équilibrée, plutôt sablonneuse.

- Malgré toutes ces précautions, l'arrosage peut être nécessaire tous les jours. Placez une grande soucoupe sous les pots et, par temps chaud, remplissez-la d'eau. Attention: même constamment remplie d'eau, elle ne remplacera jamais un bon arrosage.

- Tous les deux ans, vérifiez la quantité de racines dans les pots. Si la masse est dense, divisez vos plants.

MISE EN GARDE

Les hémérocalles en pots ne peuvent absolument pas passer l'hiver au balcon, les racines et les rhizomes se transformeraient en véritables glaçons. Vers le début de novembre, il faut les ranger dans un local obscur où la température ne descend pas plus bas que le point de congélation ou, mieux encore, les enterrer dans une plate-bande, chez un ami.

À gauche, une hémérocalle prélevée tôt au printemps produit quelques fleurs vigoureuses sur un balcon exposé plein ouest, tandis qu'un plant de pommes de terre et deux plants de tomates préparent leur modeste production.

Hybridation et création de nouvelles variétés

Les quelque quarante mille hybrides d'hémérocalles dûment enregistrés, dont une infime partie pousse dans les champs des producteurs, sont apparus à la fin du siècle dernier. Les méthodes utilisées par les pionniers dans ce domaine n'ont pas beaucoup changé. Très simples, elles sont accessibles à tout jardinier passionné de découverte et de création. De là à produire ses propres variétés, il n'y a qu'un pas.

Premiers hybrideurs

Le jardin botanique de New York a la réputation d'être le lieu de naissance des hémérocalles modernes. C'est pourtant en Angleterre qu'est né le premier hybride des mains de George Yeld. Il admira la première fleur en 1877, un an après la naissance d'un autre fameux hybrideur, un Américain cette fois, Arlow Baudette Stout. Ce botaniste réputé fit ses débuts dans l'univers des hémérocalles à peu près en même temps que la Terre entrait dans le XXe siècle. En guise de parents pour leurs nouveautés, les deux hommes utilisèrent une dizaine d'espèces indigènes.

Premiers parents

Si l'on en croit les écrits d'Arlow Baudette Stout, toutes les hémérocalles sauvages, même celles qui vivent en liberté chez nous, sont arrivées, à un moment ou à un autre, du continent asiatique. On sait que les hémérocalles étaient déjà cultivées dans les jardins chinois, il y a plus de deux mille ans. On reconnaît aujourd'hui une quinzaine d'espèces ayant servi de parents plus ou moins lointains aux variétés modernes.

POUR VOUS FACILITER LA TÂCHE

On détermine le nom des hémérocalles par deux ou trois mots. Le premier est toujours Hemerocallis et désigne, en latin, le genre botanique auquel appartiennent toutes ces «Beautés d'un jour». Quand un autre nom en latin suit (pas toujours), il désigne le nom de l'espèce, comme Hemerocallis fulva, à fleurs fauves (orange), que l'on rencontre fréquemment dans les fossés. La variété est toujours désignée par un mot non latin, précédé et suivi par une apostrophe. Il est placé soit directement après le nom de genre soit après le nom de l'espèce. Exemple: Hemerocallis fulva 'Kwanso'.

Principales espèces parentales (les chiffres indiquent la hauteur minimum des adultes en fleurs)

H. altissima - jaune pâle - 1,20 m - parfumée

H. aurantiaca - fauve - 80 cm

H. citrina - jaune pâle - 1 m - parfumée - fleurit la nuit

H. disticha - fauve - 1 m - longues fleurs

H. Dumortierii - jaune brillant tirant sur le orange pâle - 30 cm - tiges florales courtes

H. exaltata - orange pâle - 1,20 m

H. flava - jaune - 90 cm - parfumée - décrite pour la première fois au XVIe siècle

H. Forrestii - orange tirant sur le rouge - 40 cm

H. fulva - fauve - 1,20 m - 'Europa' décrite pour la première fois au XIVe siècle

H. longituba - fauve - 1 m - longues fleurs

H. Middendorffii - orange - 50 cm - parfumée

H. minor - jaune pâle - 40 cm - parfumée - feuilles étroites comme les graminées

H. multiflora - jaune doré aux pétales léchés de rouge - 90 cm

H. nana - orange - 40 cm - parfumée

H. Thunbergii - jaune - 90 cm - parfumée

Rôle des parents

L'hybridation assistée (par les jardiniers) consiste à obtenir des variétés — des «enfants» — qui vont développer les caractéristiques les plus appréciées des deux parents: couleur, hauteur, grosseur, résistance au climat, aux parasites, etc. En revanche, les enfants peuvent aussi hériter de leurs faiblesses. Ainsi, les hybrides issus de *H. aurantiaca* sont parmi les moins rustiques et ont besoin d'une protection hivernale.

MISE EN GARDE

Il est possible de croiser des nouveaux hybrides entre eux, mais plus leurs parents indigènes sont loin dans la lignée, plus les variétés obtenues manifesteront des faiblesses dans leur croissance et dans leur floraison. On contrecarre ce genre de dégénérescence — sorte de consanguinité — en accouplant régulièrement un hybride récent avec une espèce indigène.

L'hybridation naturelle ne donne pas toujours des graines contenant les caractères de la variété porteuse. Même si ces deux fleurs de 'Sammy Russell' s'aiment d'amour tendre, il n'est pas dit que leur descendance leur ressemblera. Une fleur peut en effet être fécondée par le pollen d'une autre variété. Il est soit porté par le vent, soit par les insectes. Mais, dans les grosses fleurs, ceux-ci ont tellement de place pour circuler qu'ils se chargent rarement du pollen qui pourrait féconder la fleur voisine.

Technique d'hybridation

La création de nouvelles variétés est à la portée de tous. Chacun peut développer sa propre collection, juste pour le plaisir, sans nécessairement enregistrer ses créations. Il ne faut qu'un peu de minutie, une bonne dose d'observation, du temps libre et beaucoup de patience. Voici les étapes à suivre:

- Choisissez le père et la mère de la future génération. Ils doivent tous les deux être diploïdes ou tétraploïdes.
- Déterminez quel bouton floral de chacun des parents servira à la procréation et étiquetez-le.
- La veille de l'épanouissement probable des fleurs, écartez délicatement les pétales de la mère et coupez les étamines (mâles) pour éviter une autofécondation accidentelle (voir le croquis anatomique de la fleur, page 70).
- Aussitôt après, enveloppez le bouton sélectionné sur les deux parents dans un sac de papier pour prévenir tout risque de fécondation naturelle. Il faudra agir dès leur ouverture, le matin sur les variétés à floraison diurne, le soir pour les autres. Rappelez-vous que les fleurs ne restent ouvertes que 24 h.
- Au jour «J», prélevez les étamines du père et frottez-les sur le pistil humide et collant de la mère.
- Étiquetez la fleur fécondée en indiquant le nom des parents, le jour et l'heure de leur accouplement assisté.
- Une fois les fleurs fanées, laissez le fruit (la gousse) se développer. Les graines seront mûres et prêtes à être récoltées quand la gousse aura bruni.

Sélection des hybrides

Lors d'une fécondation, naturelle ou artificielle, les caractères génétiques des parents s'associent tout à fait au hasard. Résultat: les plantes issues des graines récoltées peuvent toutes présenter des traits différents. L'hybrideur doit alors numéroter ses lots de graines en fonction des géniteurs et les semer en les identifiant systématiquement.

La levée a lieu généralement moins d'un mois après le semis (voir la technique du semis au chapitre suivant), mais il vous faudra attendre près de 2 ans avant de contempler les premières fleurs. Vous devrez ensuite cultiver vos nouvelles acquisitions pendant 3 ans en observant leur comportement, avant de choisir les plus intéressantes. Enfin, si vous avez des visées mercantiles, comptez 5 ans de plus pour obtenir, par divisions successives, une centaine de plants vendables de chaque nouvel hybride.

Après cela, s'il vous vient l'idée de les enregistrer, communiquez avec la Société américaine des hémérocalles (voir *Annexe 2*).

Multiplication par semis et par division

Que ce soit pour économiser ou pour s'amuser, des inconditionnels, fervents d'émotions étalées sur le temps, obtiennent des hémérocalles par semis. Néanmoins, la méthode de reproduction la plus populaire reste la division. Facile, rapide, instantanée, elle permet la création de massifs imposants ou la répétition, dans l'aménagement, des variétés et des couleurs préférées du jardinier.

LE SEMIS

Préparation des graines

Normalement, les graines que l'on trouve dans le commerce peuvent être semées immédiatement. Si vous semez vos propres obtentions, vous devez impérativement leur infliger une période de froid pour lever leur inhibition naturelle.

Trois choix s'offrent à vous:

1- Semez à l'extérieur, tard en automne avant les neiges permanentes, même sur un sol gelé, pour une germination au printemps, au courant du mois de mai.

2- Placez les graines dans un sac à fermoir coloré (genre «ziploc») et entreposez-les pendant au moins 6 à 8 semaines dans le tiroir à légumes de votre réfrigérateur. Passé ce délai, semez quand vous voudrez. Selon la variété, la germination a lieu entre 5 et 30 jours plus tard.

3- Semez en caissettes ou en cellules, au mois de novembre, puis placez-les dans un endroit frais, autour de 5 °C (caveau, chambre froide, réfrigérateur), pendant tout l'hiver si vous le désirez.

PRÉCAUTION À PRENDRE

Pour activer la germination, faites tremper les graines pendant la nuit qui précède le semis.

Méthode

On peut commencer les semis à l'intérieur, en caissettes ou en cellules, 4 semaines environ avant le début du Printemps 1 (les dates pour chaque région figurent en annexe 1). Les semis extérieurs ont lieu en automne ou au printemps, dès que le sol a dégelé. La germination a lieu quand la température moyenne est de 15 °C. Dans les deux cas, couvrez les graines d'une couche de terre équivalente à leur diamètre. Tassez légèrement du plat de la main et arrosez. À l'intérieur, placez les caissettes dans un solarium, sur le rebord d'une fenêtre ensoleillée ou, mieux encore, dans une serre. Maintenez le terreau humide. Quand les jeunes plants ont environ 10 cm de hauteur, repiquez-les dans des pots de 10 cm de diamètre que vous sortirez au début du printemps 2.

LA DIVISION

Conditions générales

La division a pour but d'obtenir de nouveaux plants ou de rajeunir la plantation (tous les 4 à 6 ans). Vous pouvez la pratiquer n'importe quand entre la sortie des premières feuilles et le début de l'automne (dont les dates figurent en annexe 1). Soyez bien conscient tout de même que si vous opérez en juin lorsque les plantes sont pleinement développées, vous perdez la floraison. Les périodes idéales sont tôt au printemps 1 ou tôt à l'automne.

Méthode rapide

1- Arrosez copieusement 24 h à 48 h d'avance.
2- Déterrez la plante adulte, comme indiqué sous «Transplantation» dans le chapitre *Plantation et transplantation*.
3- Coupez le feuillage de moitié.
4- À la bêche ou au couteau, découpez la grosse motte en sections de 10 cm à 15 cm de diamètre.
5- Plantez chacune d'elles comme indiqué sous «Plants en mottes» dans le chapitre *Plantation et transplantation*.

Méthode précise

1- Arrêtez les arrosages 3 ou 4 jours à l'avance.
2- Effectuez les étapes 2 et 3 de la méthode rapide ci-dessus.
3- Détachez la terre des racines et des rhizomes; rincez au jet.
4- Séparez tous les individus qui forment la motte en démêlant d'abord les racines puis les feuilles. Au besoin, coupez au couteau les morceaux qui résistent à la séparation.
5- Plantez chaque section comme indiqué sous «Plants à racines nues» dans le chapitre *Plantation et transplantation*.

Il est fortement conseillé de choisir des plants forts et vigoureux pour multiplier une variété donnée, comme ici 'Miniature Yellow'.

Foolish Pleasure

Entretien général

Quand la floraison est à son apogée, le nombre de fleurs fanées est très élevé. Leur élimination systématique permet d'améliorer le coup d'œil.

On ne le dira jamais assez, les hémérocalles sont des amours de vivaces, dociles, pas compliquées, généreuses, autonomes et merveilleusement attachantes. Vous pouvez les livrer à elles-mêmes, elles se débrouillent sans se plaindre. Mais laissez-moi vous dire un secret: elles adorent être dorlotées! De toute façon, il y a des choses pour lesquelles elles ont besoin d'aide…

Les vieilles fleurs

Éliminer les fleurs fanées, et par le fait même les fruits et les graines, est une tâche que l'on conseille de réaliser sur toutes les plantes vivaces. Avec les hémérocalles, les résultats sont frappants: la floraison dure plus longtemps, et certaines variétés se remettent même à fleurir en plein automne (voir sous «Les floraisons de longue durée» dans le chapitre *Les prouesses de la floraison*).

POUR VOUS FACILITER LA TÂCHE
Avant de partir vous promener dans le jardin le matin, munissez-vous d'une paire de ciseaux et coupez le pédoncule (voir croquis, page 70) des fleurs fanées. Cette méthode vous évitera d'arracher accidentellement les boutons floraux encore fermés si vous opériez avec vos doigts.

MISE EN GARDE

Biner les plates-bandes d'hémérocalles, pour les désherber, n'est pas recommandé. Les racines, même si elles descendent en profondeur, explorent le sol en surface. Leur destruction par les outils pourrait compromettre la croissance et la floraison.

La protection hivernale

Les variétés dites persistantes ont un ou deux parents (ou aïeuls) d'origine tropicale. Leurs racines ont donc besoin d'une protection hivernale, au moins les trois premières années, le temps de bien s'établir. Étendez un **paillis** de thuya haché, de foin, de paille, de branches de conifères ou de feuilles broyées, d'une épaisseur de 5 cm minimum.

MISE EN GARDE

Généralement, une bonne couche de neige suffit, mais comme on n'est jamais sûr qu'elle sera assez épaisse et durable, il vaut mieux utiliser un paillis.

Pour augmenter l'accumulation de neige autour des plants, coupez le feuillage de toutes les variétés, dormantes ou persistantes, de 5 à 10 cm au-dessus du sol, vers la fin de l'automne (tel que défini dans le *Guide Prieur saison par saison*). De plus, il est beaucoup plus facile de pratiquer cette taille avant l'hiver, car, après plusieurs mois sous la neige, les feuilles aplaties sur le sol sont plus difficiles à manipuler.

Les ennemis

Autant du côté des insectes que des maladies, rien de vraiment grave n'a jamais été

Ce plant de 'Red Magic' et ses voisins vivent dans une pente légère où les risques de sécheresse sont plus élevés. Un épais paillis de thuya haché garde le sol humide plus longtemps.

signalé. Toutefois, on a déjà observé des attaques occasionnelles d'un champignon perceur de feuilles. Deux insectes font aussi leur apparition de façon sporadique.

- Les thrips décolorent les feuilles d'hémérocalles, des variétés rouges et violettes surtout.
- Les tétranyques, sortes de minuscules araignées, sont très actives en période de temps chaud et de sécheresse pendant laquelle elles sucent le feuillage pour se désaltérer.

Vous pouvez évidemment traiter avec des pesticides, biologiques ou autres, mais voici deux méthodes expéditives à appliquer selon la gravité de l'attaque:

- si les symptômes sont légers, coupez le feuillage affecté. Jetez-le ou détruisez-le, peu importe la période;
- dans les cas les plus graves, éliminez les plantes pour éviter la propagation du parasite aux plantes avoisinantes.

Les hémérocalles (ici, 'Cedar Wawxing') supportent assez bien les sécheresses passagères du sol et l'alternance sec ou humide. Il n'est donc pas nécessaire de les arroser tous les jours ensoleillés de l'été. Une bonne terre recouverte de paillis vous fera économiser beaucoup d'eau et de temps.

Deuxième partie

Création

Inspiration des grands jardins

*Il est très rare qu'un grand jardin, public ou privé, ne présente pas quelques
massifs ou collections d'hémérocalles dans le but de mettre en scène
une production à grand déploiement ou, au contraire, un spectacle intimiste.
En voici cinq, de conception et de philosophie complètement différentes.
Quatre se trouvent dans la région de Québec où l'on rencontre le plus
de grands jardins, magnifiques et sans prétention. Ce sont aussi mes préférés.*

LE DOMAINE MAIZERET

▲
Quand l'arboretum du domaine Maizeret, à Québec, a ouvert ses portes en 1997, la plupart des arbres, arbustes et vivaces
avaient déjà passé là une ou deux saisons. Pour les visiteurs, le coup d'œil était superbe. Les quelques variétés d'hémérocalles
(ici 'Autumn Red'), regroupées en énormes massifs monochromes, occupaient une bonne partie de la place qu'on leur avait
réservée autour des étangs. La plante qui flotte sur l'onde calme est la très prolifique jacinthe d'eau (*Eichhornia crassipes*).

Même quand le sol est très humide, les hémérocalles fleurissent de bonheur. 'Autumn Red' a ainsi été baptisée à cause de la couleur de ses fleurs. Le jaunissement du feuillage est un phénomène normal, spécialement pour les variétés de type dormant ou semi-persistant. Il commence généralement quand la période de floraison tire à sa fin ou quand elle est terminée. Il signale donc le début du repos des plantes.

LE PARC DU BOIS-DE-COULONGE

▲

Ce qui frappe le plus le visiteur du Bois-de-Coulonge, à Sillery, ce sont les immenses plates-bandes qui fleurissent le boulingrin et le bord des sentiers sillonnant le parc. Elles sont toutes constituées de masses de cinq à dix sortes de plantes vivaces qui, pour la plupart, éclosent en été. Les hémérocalles y occupent une place de choix; malheureusement, les variétés ne sont pas identifiées. Sur cette photo, elles sont associées à des échinacées blanches, à des liatris et à des achillées. Remarquez le jeu des hauteurs et l'importance des feuillages qui mettent les fleurs en valeur.

▲

Le charme de cette association tient non seulement au contraste entre la forme et la couleur des fleurs, mais aussi au fait que les rudbeckies sont très voyantes et ont un feuillage réduit tandis que les hémérocalles affichent une couleur pastel et un feuillage imposant et souple. L'arrière-plan constitué d'une pelouse donne du relief à la composition. Notez que pour séduire et attirer le visiteur, la mise en scène d'une plate-bande doit être vue d'un seul coup d'œil. Le jardinier s'appliquera aussi, au cours des années, à créer des scènes plus petites à l'intérieur de la composition pour prolonger l'émerveillement.

▲

Voici une façon très subtile de diriger le regard des visiteurs: placer les plantes les plus basses aux extrémités de la plate-bande qui est en forme de courbe. L'œil se déplace simultanément de bas en haut et de droite à gauche, d'abord rapidement pour saisir l'effet graphique, plus lentement par la suite pour admirer les masses de fleurs successives. La présence des hostas au premier plan surprend agréablement: les larges feuilles horizontales et jaunâtres forment un contraste saisissant avec les lignes verticales et les feuilles étroites et vert foncé des hémérocalles.

LE PATRIMOINE DE MONIQUE NOËL

À Sainte-Foy, Monique Noël a créé ce qui est sans doute le ►
plus grand jardin de plantes indigènes dans l'est du
Canada. Parmi des spécimens rares et des espèces plus
courantes, elle fait pousser un certain nombre de plantes
cultivées dont des hémérocalles. Elle ne note pas le nom
des variétés, le principal étant pour elle de produire un effet
et de se faire plaisir, quelquefois simplement de remplir
harmonieusement un espace dans une plate-bande. Ce
plant aux fleurs blanches jaillit d'un fouillis (plus organisé
qu'on ne le pense) comportant une autre hémérocalle, des
verges d'or, des campanules, des salicaires et d'autres espèces
difficilement identifiables. C'est justement de ce faux désordre
que cette hémérocalle tire toute sa grâce et son élégance.

◄ Quelle densité de végétation dans ce minuscule coin de
jardin! On y trouve des aulnées, des matricaires, des
astilbes, des liatris, des silphiums, des rudbeckies, des
phlox prêts à fleurir et, bien sûr, des hémérocalles. Les
variétés fauve à cœur rouge (qui ressemble à 'Tick Tock')
et la rose sont encore jeunes, mais si l'on en juge par la
vigueur et la prolificité de la variété aux fleurs rouge
cuivré, elles ne tarderont pas à prendre de l'ampleur et à
fleurir abondamment.

◄ Au soleil, juste en avant d'un massif ombragé, des fleurs d'hémérocalles de couleurs diverses scintillent littéralement comme des étoiles dans la nuit. Le charme est irrésistible.

N'a-t-on pas l'impression que les arbustes, en arrière, et les fougères, en avant, sont là pour protéger la variété rouge d'hémérocalles et la variété à fleurs doubles, 'Kwanso' ou une proche parente? Avec les racines plongées dans une terre humide, elles ont colonisé la place et se sont installées tranquillement dans leur forteresse végétale. La composition est simple, spectaculaire et délicieusement naturelle. La force de Monique Noël? Donner l'impression que le jardin s'est arrangé tout seul, sans l'intervention d'un jardinier.

▼

LA SEIGNEURIE DES AULNAIES

Ces *Hemerocallis fulva* ont pris possession de la pente ►
située à gauche du sentier menant au moulin banal, face
à l'accueil et à la boutique. Dans cette forte dénivellation,
la terre — retenue par de grosses pierres — s'assèche
facilement. Les hémérocalles ne s'en formalisent pas. La
terre est à dominante argileuse et garde assez bien
l'humidité. Coup d'œil irrésistible pour le visiteur!

À gauche du manoir de la seigneurie, à Saint-Roch-des-
Aulnaies, s'épanouit un petit jardin carré d'inspiration
française, entouré d'une haie de cotonéasters. Au milieu
de chaque côté du carré, il y a un passage dans la haie
qui permet d'entrer dans le jardin et de circuler parmi les
massifs géométriques garnis d'annuelles. Deux énormes
touffes d'hémérocalles indigènes encadrent chaque entrée
comme des gardiens surveillant un trésor. C'est en tout
cas l'impression que donne cette composition pour le
moins originale.
▼

LE JARDIN DANIEL-SÉGUIN

Mélanger les variétés n'entre pas en contradiction avec la création de massifs. Deux conseils cependant: placez les variétés les plus hautes à l'arrière du coup d'œil principal; choisissez une couleur et exploitez-en toutes les nuances puis, comme élément de surprise, disposez de manière informelle deux ou trois plants d'une couleur contrastante, comme ici, le rouge.

▼

▲

Ce massif d'hémérocalles se trouve dans un jardin conçu par Milan Havlin, mais le décor que l'on a créé ressemble à s'y méprendre à celui d'un ruisseau ou d'un lac en pleine nature. Alors, pourquoi ne pas se servir des hémérocalles pour fleurir et naturaliser le terrain des chalets au bord de l'eau, soit directement dans la pente, soit en surplomb comme sur la photo? On pourrait même les associer avec des iris des marais et des lobélies cardinales.

Encadrées à gauche par un pin mugo et, à droite, par une colonie de pivoines, ces hémérocalles sont associées à un imposant groupe de plantes annuelles. Réussir un tel agencement n'est pas facile mais, dans ce cas-ci, le coup d'œil est intéressant et témoigne de l'habileté des étudiants de l'Institut de technologie agro-alimentaire (ITAA) de Saint-Hyacinthe. Notez les différentes hauteurs des fleurs de la variété dominante selon la place qu'elles occupent. Ce phénomène est normal: quand le massif est profond et fait face au sud, les fleurs en arrière veulent recevoir autant de soleil que celles d'en avant qui, elles, n'ont pas besoin de lever la tête pour en attraper. Remarquez comment le feuillage arqué en forme de jupe met les fleurs en valeur.

Mises en scène

Véritable travail de composition, la «mise en scène» signifie la façon dont on dispose les hémérocalles en exploitant le décor et l'éclairage déjà en place.

Ces fleurs qui semblent tendre la main pour ▶
une obole ou les lèvres pour un baiser ne
cherchent pas à charmer les visiteurs présents
sur le belvédère. En réalité, elles n'ont qu'une
idée en tête: utiliser la chaleur et l'énergie du
soleil lorsqu'il est le plus lumineux, en début
d'après-midi. Vous remarquerez que plus les
tiges sont longues, plus le phénomène —
appelé phototropisme — est accentué. À vous
d'en tirer le meilleur parti!

Le gros sureau doré bloque la perspective et fait ressortir ▶
la floraison des hémérocalles. L'œil est donc immédiatement
attiré par la couleur, d'abord en plein soleil, puis dans
l'eau où se reflètent à l'unisson les fleurs et le bleu du ciel.
La contemplation de ce spectacle enchanteur isole du
monde entier.

▲
Rien de tel qu'une vigoureuse hémérocalle aux couleurs
éclatantes, placée d'un côté ou de l'autre de la clôture,
pour accueillir le visiteur ou souhaiter une bonne journée
au passant, pour faire sourire, émerveiller et détendre. Le
feuillage gracieux et les tiges de la plante ont toujours
l'air d'être en mouvement, illusion accentuée par les
grosses pierres qui, elles, sont parfaitement statiques.

Ici, la mise en scène consiste à placer la touffe ▶
d'hémérocalles de manière que le soleil de fin d'après-
midi fasse vibrer le rouge orangé des fleurs. Que se passe-
t-il alors? Lorsque vos enfants reviennent à la maison ou
lorsque vos copains vous rendent visite, le spectacle est
époustouflant. Mais, faites-vous d'abord plaisir!

Ce petit jardin de ville est un trésor de créativité. Du pas ordinaire à son meilleur. L'hémérocalle indigène, dont les fleurs s'épanouissent à plus de 1,50 m de hauteur, domine les plantations alentour avec autorité, grâce et élégance. Située à un endroit stratégique, près de l'entrée, elle impose le respect et une certaine humilité aux visiteurs. Ambiance idéale pour faire des affaires.

Imaginez que cette hémérocalle soit adulte et... trois fois ▶ plus fleurie. Rien de tel qu'un bouleau pleureur comme arrière-plan à un tel débordement. En fait, toute plante pleureuse, de l'épinette au caragana en passant par le mûrier et le pin, peut jouer le même rôle d'écran végétal vert et servir de toile de fond à l'expression artistique du jardinier. De plus, l'opposition entre la masse de leurs branches retombantes et le feuillage délicat et arqué de l'hémérocalle contribue à charmer, que dis-je, à séduire le spectateur.

▲
Toute mise en scène devrait tenir compte de l'éclairagiste suprême, le soleil. La variété 'Baja' est un véritable chef-d'œuvre dès que la lumière touche les fleurs sous n'importe quel angle. Elle est haute, donc les fleurs se voient de loin et peuvent attraper les rayons solaires même quand le soleil est bas. Quand les fleurs sont illuminées par le soleil de l'après-midi (en médaillon), le spectacle est tout autre qu'en fin de journée (grande photo). Quel que soit l'endroit où l'œil se pose, ce bouquet d'hémérocalles resssemble à un gigantesque feu de joie.

Jeux de feuillage

On aura beau dire que les hémérocalles ne fleurissent pas longtemps —
les plus récentes variétés démentent cette affirmation —, il n'en reste pas moins
que le feuillage présente, pendant toute leur croissance,
des caractéristiques esthétiques très utiles au jardinier artiste.

Il n'y a guère que les hémérocalles ►
pour réussir à rester vraiment
belles après la floraison. La raison
est simple: le feuillage est
indépendant des fleurs. Couper
celles-ci ne déforme donc pas la
touffe qui soutient alors
visuellement la floraison des vivaces
voisines. Ou bien, comme sur
cette photo, le feuillage,
légèrement plus haut que les
rudbeckies, contribue à rendre le
spectacle ludique: les fleurs
jaunes semblent se cacher par
espièglerie dans la masse verte,
mais leur couleur vive les dévoile
quand même au regard amusé
des visiteurs.

▲
La floraison est terminée. Les feuilles minces et arquées, qui partent au ras du sol, occupent non seulement la même surface de la plate-bande, mais aussi un volume qui permet de garder la composition harmonieuse.

▲
Quand tout est vert ou presque, le jardinier joue avec la texture des feuillages pour composer son œuvre. Il tient compte de plusieurs éléments: la forme, la largeur, la longueur, le découpage, la couleur et la direction des feuilles. Sont-elles attachées à une tige droite? Partent-elles du sol? Quel volume occupent-elles? Autant de questions à se poser avant de décider dans quelle proportion utiliser telle ou telle espèce.

Haies fleuries

Les grandes hémérocalles sont utilisées comme haies à hauteur variable —
cet usage n'est pas encore très répandu. Leur feuillage, de forme régulière et
permanente, monte parfois à plus de 80 cm de hauteur. Les tiges florales
peuvent atteindre 1,50 m pendant une partie de l'été. Pas besoin de les tailler
sauf pour enlever les fleurs. Qui dit mieux?

Deux molènes semblent garder l'entrée du sentier qui mène ▶
à la porte de la résidence de Monique Noël (voir le chapitre
Inspiration des grands jardins). En réalité, la façade est
occupée par deux volumineuses haies perpendiculaires
d'hémérocalles indigènes, *Hemerocallis fulva*. On aperçoit
des matricaires (blanches), des anthémis (jaunes) et des
benoîtes (rouges) qui partagent le même plaisir.

Pour éliminer les problèmes de tonte, il aurait mieux valu
enlever complètement la pelouse de chaque côté de la
haie. De plus, pour réduire le temps de désherbage de la
nouvelle plate-bande, il serait préférable de diviser les
touffes d'hémérocalles et de planter les jeunes plants dans
l'espace libéré. Le coup d'œil n'en sera que plus beau.
▼

Une rue, un trottoir, un magnifique panorama. Qu'aurait-on pu planter à cet endroit à part une haie d'hémérocalles? Une floraison abondante, symbole de leur générosité, la rivière Richelieu, symbole de leur habitat naturel et une pente pour dégager la vue. Tout est là pour charmer le promeneur.

◄ Cette haie double est constituée de l'hémérocalle indigène et d'une variété plus basse qu'il a été impossible d'identifier. Le jardinier a un choix difficile à faire: les deux variétés fleuriront-elles ensemble ou pas? Si oui, l'entretien sera plus facile, mais la floraison plus courte. Dans le cas contraire, pour des raisons esthétiques, il faudra couper rapidement les fleurs fanées de la plus hâtive.

Hémérocalles urbaines

Rares sont les municipalités qui utilisent d'autres plantes que les annuelles pour décorer leurs édifices et leurs rues. On privilégie souvent le tape-à-l'œil au détriment de la création, de la distinction et du permanent. La ville de Sillery, en banlieue de Québec, si riche en magnifiques jardins, a décidé de changer les choses. Il reste encore des annuelles, mais arbustes et vivaces sont apparus sur les grandes artères, en particulier sur le boulevard Laurier et sur la rue des Gouverneurs.

Tout a commencé en 1994 quand le service d'aménagement ▶ de la ville a implanté, «pour diversifier l'embellissement jardinier», une chaîne d'îlots arbustifs sur les terre-pleins latéraux et central du boulevard Laurier. Dans un premier temps, on a planté des fusains, des pruniers pourpres, des saules arctiques, des cornouillers qui ont beaucoup souffert de la neige abondante, du sable et du sel. Les hémérocalles ont fait leur première prestation en 1996 dans le but non seulement de réduire les coûts d'entretien des îlots, mais aussi pour ajouter à ceux-ci une note de couleur et un feuillage contrastant.

◀ Les hémérocalles sont encore sous observation pour bien connaître leur comportement en milieu stressant. On envisage de leur adjoindre d'autres vivaces tels les sauges et les géraniums couvre-sol. Pour l'instant, elles n'occupent que les terre-pleins latéraux du boulevard Laurier. Mais peut-être, un jour, iront-elles peupler les îlots, entre les deux voies, où l'on a mis à l'essai des rosiers, des sureaux, des physocarpes, des cotonéasters et des lilas communs.

Compagnons de floraison

Quand les hémérocalles sont plantées isolément dans un aménagement,
c'est au contact des autres végétaux que leur beauté transcende
la simple notion de paysage.

Coup d'œil matinal à l'ombre avant le plein soleil de ►
l'après-midi. L'enchevêtrement des branches de buddléia (à
fleurs mauves) est un parfait arrière-plan pour les formes
pleines de 'Jersey Spider'. L'association est sobre, légère, et
les deux espèces fleurissent de concert une bonne partie de
l'été. L'année où a été prise la photo, les deux plantes ont
donné plus de cent vingt-cinq fleurs chacune.

Voici un bon exemple de floraisons successives. Le lilas
nain de Corée part le bal en juin. Ses fleurs mauves fanent
assez vite pour servir de fond de verdure estival à
l'hémérocalle qui fleurira la dernière. Entre-temps, la spirée
aura couvert ses feuilles jaunes d'une multitude de petits
bouquets de fleurs roses. Les trois plantes ont le temps de
faire chacune leur spectacle solo. Il n'y a donc pas de
problème de coordination. En fait, même si cette plate-bande
était uniquement composée de vivaces, vous pourriez
mélanger toutes les couleurs que vous aimez, pourvu que
les dates de floraison soient différentes.

▲
Pour obliger le regard à se poser un certain temps sur un sujet que l'on veut mettre en valeur, rien de tel que de placer à l'arrière une masse compacte, un écran végétal vert, bleuté ou jaune, comme ici un genévrier 'Wichita Blue'. Notez aussi comment les feuilles filiformes de l'hémérocalle se marient bien, par contraste, avec la masse de la grosse pierre.

Même pour les experts, l'association des annuelles et des vivaces est une opération aux résultats incertains. Sur cette photo, l'harmonie est respectée grâce aux facteurs suivants: les géraniums rouges sont loin; les pétunias violets et blancs sont rampants, donc ils ne concurrencent personne; les trois touffes d'hémérocalles sont situées en bordure de la pelouse et assez loin des rosiers avoisinants; enfin, l'arrière-plan est dégagé.

◄ Dans ce petit tableau, l'hémérocalle est mise en valeur d'abord parce qu'elle est la seule en fleurs, mais aussi parce qu'elle est entourée de plantes qui ne lui ressemblent pas. Celles-ci la dominent littéralement: un pommetier, une vigne vierge, un genévrier bleuté, une spirée jaune et un lilas nain de Corée. La forme, la direction et la couleur de leurs feuilles sont complètement différentes. Le couvre-sol de pierres de rivière contribue aussi à isoler l'hémérocalle visuellement, tout en rappelant symboliquement que la plante aime bien vivre au bord de l'eau.

Il fallait y penser! Le feuillage du lis tigré est réparti tout
au long de la tige. Celui des hémérocalles part du sol et
forme une masse volumineuse et gracieuse qui habille
merveilleusement la base dégarnie du lis. De plus, l'un des
principes de la culture de celui-ci est d'avoir la tête au
soleil et les pieds à l'ombre. Les feuilles de l'hémérocalle
projettent leur ombre sur le sol gardant au frais les racines
du voisin.

Rien de tel que de placer les hémérocalles en haut d'une
butte pour exprimer leur majesté. La domination qu'elles
exercent alors sur le reste du jardin est esthétiquement
délicate. Les variétés rouge, rose et jaune, qui occupent
l'espace entre la maison à droite et le groupe d'arbustes à
gauche, sont en quelque sorte isolées dans un espace
qu'elles meublent sans le remplir vraiment. Leur contact
avec l'horizon, grâce à une perspective étroite entre les
frondaisons, leur confère, malgré leur imposante floraison,
une légèreté... céleste.
▼

Troisième partie

Fleurs et variétés

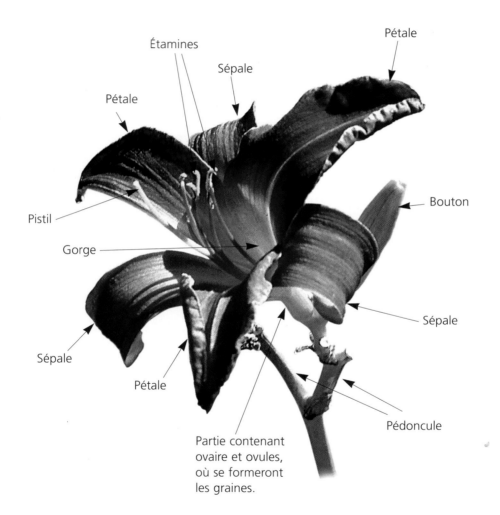

Étamines

Sépale

Pétale

Pétale

Pistil

Bouton

Gorge

Sépale

Sépale

Pétale

Pédoncule

Partie contenant
ovaire et ovules,
où se formeront
les graines.

Le charme des fleurs

*Pour séduire, les fleurs d'hémérocalles ont bien plus que leur couleur.
Elles ont leur forme propre, un léger parfum quelquefois; elles sont parfaitement
comestibles et, arrangées en bouquets, elles décorent la table à laquelle
on déguste leurs copines. La dégustation peut avoir lieu à n'importe quelle
heure puisque certaines variétés s'épanouissent la nuit. Que diriez-vous
d'une collation au retour du cinéma... avec un petit vin blanc?*

L'ANATOMIE (VOIR LE CROQUIS CI-CONTRE)

La fleur est l'organe sexuel des végétaux. Celle de l'hémérocalle est hermaphrodite, c'est-à-dire qu'elle porte à la fois les attributs mâles (étamines) et les attributs femelles (pistil, ovaire). Les trois pétales et les trois sépales sont des éléments protecteurs. Ils se ressemblent souvent, mais peuvent être de couleur différente. Il arrive qu'ils soient traversés d'une ligne claire sur la longueur; ils ont parfois le contour délicatement frisé.

Quand la fécondation est terminée, les fleurs (dont la grosseur varie de 5 cm à 15 cm selon la variété) fanent, puis les graines grossissent, le fruit (gousse) se forme et, quand les semences ont atteint leur maturité, il sèche et tombe.

LA FORME

Une plante est classée hémérocalle d'abord quand sa description anatomique correspond au schéma-type du genre botanique. Au-delà de ce simple classement, chaque variété porte des fleurs aux formes variables. Il existe une douzaine de celles-ci qui, dans certains cas, sont combinées sur la même fleur:

- **araignée**: lorsqu'on la regarde de face, les pétales et les sépales sont étroits et écartés.
- **circulaire**: vue de face, elle ressemble à un cercle.
- **double**: les pétales sont plus nombreux que sur les fleurs simples.
- **étoile**: elle est semblable à l'araignée mais les pétales sont plus étroits.
- **frisée**: le pourtour des pétales et des sépales est ondulé inégalement.
- **gaufrée**: la surface des pétales et des sépales est irrégulièrement bosselée.
- **lignée**: une ligne blanche ou jaune marque, surtout, le centre des pétales.
- **orchidée**: vue de face, les pétales et les sépales sont relativement larges, courts et pointus aux extrémités, à la manière des cimbidiums.
- **plate**: vue de profil, les sépales forment une ligne à peu près droite.
- **recourbée**: vue de profil, l'extrémité des sépales pointe vers l'arrière.

- triangulaire: vue de face, elle ressemble à un triangle.
- trompette: vue de profil, les pétales sont protubérants.

Voici un exemple flagrant de variation de la forme des fleurs en fonction de l'exposition. Sur la photo de gauche, les fleurs de 'Chartreuse Magic' se sont épanouies dans une plate-bande passant les trois-quarts de la journée à l'ombre d'une maison. Sur la photo de droite, le plant de la même variété passe toute sa journée en plein soleil.

LA DIMENSION

Le diamètre moyen des fleurs de la majorité des variétés se situe entre 7 cm et 15 cm. Parmi les plus petites, on trouve 'Mini Stella' et 'Elfin Stella' (4 cm), 'Winnie The Pooh' (5 à 6 cm), 'Gorky' (4 à 5 cm), 'Golden Chimes' (5 à 6 cm). Parmi les plus grandes, 'Avec Panache' (17,5 cm), 'Real Wind' (16,5 cm), 'Rainbow Gold' (20 cm), 'Tahitian Gold' (18,5 cm).

Ces chiffres peuvent varier d'une fleur à l'autre, d'un plant à l'autre, et selon les conditions de culture.

LA COULEUR

Du jaune pâle au rouge foncé et du rose pâle au violet presque noir, la palette de couleurs des hémérocalles est très étendue. Il n'y a cependant pas de bleu et les variétés dites blanches ne sont jamais d'un blanc pur, elles sont toutes plus ou moins teintées de jaune ou de vert.

▲
À l'occasion, sur un même plant, certaines fleurs prennent une allure de clown. Il s'agit de variations génétiques incontrôlables et difficilement transmissibles. Sur cette photo, 'Anzac' se distingue.

MISE EN GARDE
Sur un même plant, la couleur peut varier d'une fleur à l'autre en fonction de quatre facteurs: la nature du sol, l'exposition, la latitude et le degré d'ensoleillement de la journée précédant l'ouverture.

LE PARFUM

Il existe plusieurs espèces et variétés dont les fleurs exhalent une légère fragrance. L'odeur n'est jamais très marquée, et le jardinier doit avoir un nez d'une extrême finesse pour déceler le moindre effluve. Les experts s'accordent à dire que, dans sa forme la plus forte, le parfum est subtil, fugace et superficiel. C'est peu flatteur, mais déjà beaucoup pour ce genre botanique.

Les espèces les plus odorantes servant à la création d'hybrides parfumés sont: *Hemerocallis citrina*, *Hemerocallis minor*, *Hemerocallis flava*. Un peu plus bas dans l'échelle, on trouve: *Hemerocallis middendorffii*, *Hemerocallis altissima*, *Hemerocallis thunbergii*, *Hemerocallis nana*. Les autres espèces sont pratiquement inodores.

▲
Humez, humez, plongez le nez entre les pétales, butinez de fleur en fleur! Ou bien cueillez quelques tiges d''Hyperion', la championne toutes catégories du parfum, pour charmer la visite.

Il existe d'autres hybrides à l'arôme plus ou moins généreux. En voici une liste non exhaustive:

'Becky Lynn'
'Chorus Line'
'Curly'
'Family Affair'
'Green Flutter'
'Little Greenie'
'Little Jack'
'Lullaby Baby'
'Mac The Knife'
'Mary Todd'
'Pandora's Box'
'Pass me not'
'Pastel Palette'
'Siloam Bridesmaid'
'Sky Kissed'
'Soothing Look'
'Sunday Gloves'
'Sweet Sensation'
'Toltec Sundial'
'True Glory'
'Yellow Stone'

LE GOÛT

Toutes les hémérocalles sont comestibles, les boutons comme les fleurs, bien que d'un goût peu prononcé, à la fois sucré et poivré. Grâce en plus à leur texture particulière, elles sont le comble du raffinement pour les fins gourmets de plusieurs cultures asiatiques. En Chine, les fleurs sont commercialisées à l'état sec sous le nom de *Gum tsoy* ou *Gum jum*. Une des meilleures variétés serait, selon Arlow Baudette Stout, *Hemerocallis middendorffii* 'Esculenta'.

Au bord des fossés se trouve de quoi monter un délicieux buffet.

À l'état frais, les boutons, récoltés fermes et peu colorés, sont croqués tels quels ou marinés. Les fleurs, cueillies très vite après l'ouverture, entrent dans la confection de salades colorées ou peuvent être farcies de légumes coupés fin. Comme farce, j'ai déjà essayé des endives et des oignons verts mélangés ainsi que des asperges cuites et froides avec des œufs durs hachés. Versez la vinaigrette à la toute dernière minute, sinon les fleurs ramollissent et prennent une allure peu appétissante.

On les sert aussi comme garniture à la manière de l'ail, des oignons et des champignons, ou bien mélangées avec eux. Fraîches ou séchées, elles remplacent les condiments dans les sauces servies avec les viandes et les nouilles. Les boutons, quant à eux, font des merveilles dans les soupes chaudes ou froides.

On fait sécher les pétales et les sépales, hachés de la même façon que les fines herbes. Pour les réhydrater, avant de les incorporer aux plats déjà cuits, faites-les tremper quelques minutes dans de l'eau tiède. Mélangez, augmentez la température pendant quelques minutes et servez.

Les hémérocalles peuvent aussi entrer dans la préparation de desserts savoureux. Dans le livre *La saveur des fleurs* (Jelena De Belder et Élisabeth De Lestrieux, Paris, Castermann, 1994), on suggère de les farcir avec un mélange de crème fouettée à la liqueur de cassis, ou bien de servir les variétés pourpres en salades de fruits (bleuets et autres) ou encore avec de la crème glacée au basilic à feuilles pourpres.

LA FLORAISON DIURNE OU NOCTURNE

La plupart des variétés fleurissent le jour. Les fleurs ouvrent généralement juste avant les premières lueurs du jour et ferment au cours de la nuit suivante.

L'espèce *Hemerocallis citrina,* qui fleurit la nuit, est à l'origine de plusieurs hybrides nocturnes comme 'Calypso', 'Ochroleuca', 'Citronella', 'Siloam French Marble'. Les fleurs restent ouvertes de la fin de l'après-midi jusqu'au matin suivant. *Hemerocallis flava* est une autre belle de nuit, mais peu soucieuse des convenances: chacune de ses fleurs a le droit d'ouvrir n'importe quand au cours des 24 h.

Enfin, il existe une série d'hybrides, enfants plus ou moins éloignés de *Hemerocallis thunbergii*, qui ont une floraison mixte, du soir au lendemain soir.

LES FLEURS COUPÉES

Les bouquets confectionnés avec des hémérocalles changent d'apparence tous les jours, car, même dans un vase, les fleurs ne durent qu'une journée. Une manière comme une autre de contrer la monotonie! Si les «trous» causés dans le bouquet par la disparition quotidienne des fleurs vous incommodent, cueillez des hémérocalles ou des fleurs d'une autre espèce.

Associée à des petites fleurs et à des tiges élancées, l'hémérocalle devient la vedette du bouquet. La variété 'Cape Cod' est accompagnée ici par *Aster amellus* (mauve), *Veronica incana* (bleue) et *Hosta montana* (blanc et mauve).

À moins de vivre la nuit, il est évidemment préférable de choisir les variétés à floraison diurne. Cueillez les tiges au sécateur, le plus tôt possible le matin, en coupant la base en biseau. Assurez-vous qu'il y ait au moins sur chacune d'elle une fleur fanée, une fleur ouverte ou un bouton gonflé dont on aperçoit la couleur. Sur les variétés très prolifiques, les plus petits boutons, immatures, n'ouvriront sans doute jamais.

Versez quelques centimètres d'eau tiède, plutôt fraîche, dans le vase de votre choix et placez-y les tiges fraîchement coupées. Il n'est pas nécessaire de changer l'eau tous les jours — seulement tous les trois jours — sauf si vous voulez faire ouvrir le maximum de boutons juvéniles. Dans ce cas, recoupez quotidiennement la base des tiges en biseau et trempez-les dans une eau tiède, plutôt chaude.

'Kingston'

Les prouesses de la floraison

Même si la floraison des hémérocalles est, par nature, de courte durée, le jardinier ne peut s'empêcher de rechercher les variétés qui produisent le plus longtemps possible, soit parce qu'elles fabriquent de nouvelles fleurs pendant 3 ou 4 mois, soit parce qu'en juillet, chaque hampe (tige) florale produit un grand nombre de boutons. Voici quelques performances florales.

LA REPRISE

Quand on transplante des plantes entières ou des sections d'hémérocalles, elles reprennent vie rapidement et facilement.

LE NOMBRE DE FLEURS PAR TIGE

▲
Quand 'Siloam French Marble' commence son aventure florale estivale, chaque hampe peut porter, tassés à son extrémité, plus de cinquante boutons! Bien plus que des promesses...

LA PREMIÈRE FLEUR

Voici, à titre indicatif, la date d'épanouissement de la première fleur, en 1997, sur vingt-cinq variétés de ma collection:
3 juillet: *Hemerocallis fulva*
9 juillet: 'Encore et encore'
16 juillet: 'Orange slice'

▲
Des jeunes plants sauvages, prélevés en bordure de route à la fin du mois de juillet et plantés dans la pente d'un fossé, ont produit en moyenne, le printemps suivant, trois hampes florales de 1,20 m de hauteur chacune.

17 juillet: 'Mary Todd' - Demetrius - 'Ruffled Apricot' - 'Chicago Peach'

18 juillet: 'Baja' - 'Jovialiste' - 'Commandment' - 'Rayon de Soleil'

19 juillet: 'Cedar Waxwing' - Coralie'

21 juillet: 'Gentle Shepherd' - 'Siloam Red Toy' - 'Jog On' - 'Agreeable' - 'Anzac'

22 juillet: 'James Marsh'

23 juillet: 'Chicago Apache' - 'Dorothy Louise' - 'Cannelle'

24 juillet: 'Provocante'

25 juillet: 'Coup de cœur'

1 août: 'Flaming Poppa'

2 août: 'Hudson Valley'

4 août: 'Frances Hall'

▲
Le 20 juillet, un plant de 3 ans de 'Jersey Spider' portait cent cinquante fleurs et boutons. Le 20 août, à raison de deux à cinq fleurs ouvertes par jour, il en portait encore cent trente! C'était un bel été: chaleur le jour et fraîcheur la nuit, de la pluie une fois tous les 5 à 10 jours.

▲
Le même été, un plant de 'Encore et encore' de 2 ans avait déjà produit cent boutons, le 20 juillet. Un mois plus tard, cette variété entièrement québécoise en avait encore cent vingt!

LES SURPRISES DE L'ÉTÉ

▲
◄ Chez moi, 'James Marsh' (rouge) et
'Demetrius' (jaune délicatement léché de rose)
sont dans la même plate-bande, pas loin l'une
de l'autre. Elles reçoivent uniquement le plein
soleil du matin et du soir. Le reste du temps,
elles sont à l'ombre légère de quelques arbres
ébranchés jusqu'à 4 m de hauteur. À leur
deuxième été au jardin, elles ont fleuri une
partie de juillet et le début d'août, comme
l'année d'avant. Au début de septembre, elles
ont fait jaillir de leur cœur quelques hampes
florales, timidement pour 'Demetrius', avec
passion pour 'James Marsh' qui a poussé la
fantaisie jusqu'à faire ouvrir six fleurs à la fois
sur le même plant.

LES FLORAISONS DE LONGUE DURÉE

Les hybrides qui fleurissent de juillet à octobre sont rares, mais on peut en identifier une bonne demi-douzaine.

▲
'Chicago Peach' est une fine espiègle. Sans prévenir, elle m'a fait un magnifique cadeau. Je ne m'étais pas promené dans son coin du jardin depuis quelque temps, mais le 23 octobre, j'y étais. Que vois-je? Une frileuse hampe florale avec une demi-douzaine de boutons fièrement accrochés à leur pédoncule. Je n'ai rien touché jusqu'à la fin du mois. De grosses gelées étant à craindre, j'ai coupé la tige le 1er novembre et l'ai mise dans un vase avec de l'eau tiède. Il en est sorti 3 fleurs, la dernière beaucoup plus petite que les autres. La floraison forcée provoque en effet un rapetissement, car il ne circule que de l'eau dans les tissus au lieu d'une sève riche.

'Stella de Oro' est la plus connue des prolifiques. Sans ▶
doute la plus basse aussi (30 cm à 40 cm). Elle ne se
donne aucun répit durant l'été. Ses cousines, 'Mini Stella',
jaune, 'Elfin Stella', jaune, et 'Black-eyed Stella', jaune à
gorge rouge, entendent bien acquérir la même réputation,
mais elles sont encore bien jeunes...

'Frances Hall', à pétales rouges et à sépales jaunes, n'est ▶ pas la variété la plus florifère, mais elle fleurit régulièrement tout l'été. Sa dernière fleur peut ouvrir aussi tard que le 22 octobre dans la région de Montréal.

▲
'Jersey Spider', avec son allure de grosse mais adorable araignée, aime, elle aussi, émerveiller les jardiniers alors que les arbres ont déjà perdu toutes leurs feuilles.

Voici une liste non exhaustive des autres hybrides reconnus pour leur floraison relativement prolongée. On les appelle **remontants** :

'American Belle'
'Banning'
'Barcelona'
'Butterscotch Ruffles'
'Camden Gold Dollar'
'Candlestick'
'Catherine Woodbury'
'Chicago Ruby'
'Chorus Line'
'Commandment'
'Darius'
'Encore et encore'
'Forsyth Lemon Drop'
'Frances Fay'

'Golden Fountain'
'Happy Returns'
'Imperial Guard'
'Little Business'
'Little Fantastic'
'Little Show Off'
'Little Wine Cup'
'Mama Chacha'
'Mateus'
'Mini Pearl'
'Ochroleuca'
'Only One'
'Pandora's Box'
'Pardon Me'
'Petite Ballet'
'Puddin'
'Radiant Greetings'
'Siloam Ury Winniford'
'Simply Pretty'
'Sing Again'
'Sleigh Ride'
'Snowy Evening'
'Stake Race'
'Sugar Candy'
'Tijuana'
'Tootsie'
'Treasure Shores'
'Velvet Rose'
'Yellow Lollipop'

▲
'Siloam Ury Winniford'

Présentation des variétés

On appelle variété un groupe de plantes parfaitement ressemblantes, dérivées de une ou de plusieurs espèces par mutation, par hybridation ou par sélection. Les mots «cultivar» et «hybride» désignent le résultat de la méthode dont les variétés sont obtenues artificiellement par les producteurs. Leurs noms sont généralement des mots anglais ou français présentés entre deux apostrophes. Les appellations Chicago, Siloam ou Decatur, parfois incluses dans ces noms, désignent l'obtenteur quand celui-ci est l'auteur de toute une série.

Pour accompagner chaque photo, nous donnerons quatre caractéristiques:

LA HAUTEUR

La mesure est donnée en centimètres et identifie la hauteur totale de la plante, jusqu'au sommet des fleurs. Elle indique généralement le minimum atteint par celles-ci. Il peut y avoir des variations selon les conditions de culture.

L'ÉPOQUE DE FLORAISON

Même si ce livre ne prétend pas être un catalogue, pour faciliter les choses, nous nous servirons des symboles utilisés par les producteurs, qui désignent l'époque moyenne du début de la floraison, telle que déterminée par l'obtenteur. Il peut y avoir des variations selon la situation géographique.

H   = hâtive (fin juin, début juillet dans la région de Montréal)
M   = mi-saison
HM = entre hâtive et mi-saison
MT = entre mi-saison et tardive
T   = tardive

LES DONNÉES GÉNÉTIQUES

La couleur, la grosseur et la vigueur de chaque variété dépendent du nombre de chromosomes (voir page 17):
Di = diploïde
Té = tétraploïde

L'origine géographique des espèces indigènes détermine la rusticité des hybrides et leur comportement au jardin (voir page 17):
Pe = variété persistante
Do = variété dormante
SPe = semi-persistante

MISE EN GARDE
Pour des raisons techniques, il peut y avoir une différence entre la couleur des fleurs sur les photos et au jardin.

POUR VOUS FACILITER LA TÂCHE
Si vous cherchez où trouver des plants et des graines, consultez les adresses utiles en annexe 2.

Blanc

Chez les hémérocalles, le blanc pur n'existe pas encore.

'Acres of Angels' - 80 cm - M - Di - Do

'Always yours' - 70 cm - M - Di - Do

'Gentle Shepherd' - 75 cm - HM - Di - SPe - Cœur vert

Bourgogne

'Cape Cod' - 85 cm - T - Di - Do

'Fiesta Skirt' - 85 cm - M - Di - Do

Deux couleurs

'Colonial Dame' - 90 cm - MT - Di - Do

'Bonanza' - 80 cm - M - Di - Do

'Coup de cœur' - 80 cm - M - Té - Do

'Bold Courrier' ou 'Frances Hall' - 70 cm - MT - Di - Do

'Eye Yi Yi' - 90 cm - M - Té - Pe

'Femme Fatale' - 52,5 cm - H - Di - SPe

'Gay Cravat' - 70 cm - M - Té - Do

'Magic Dawn' - 85 cm - M - Di - Do

'Mama Chacha' - 60 cm - HM - Té - Do

'Pandora's Box' - 50 cm - MT - Di - Pe

'Popeye' - 40 cm - HM - Di - SPe

'Radiant Greetings' - 95 cm - M - Di - Do

'Real Wind' - 70 cm - MT - Té - Do

'School Master' - 90 cm - MT - Té - Do

'Siloam Ethel Smith' - 50 cm - M - Di - Do

'Siloam French Marble' - 40 cm - M - Di - Do

'Siloam June Bug' - 60 cm - HM - Di - Do

'Siloam Little Girl' - 45 cm - M - Di - Do

'Siloam Tee Tiny' - 50 cm - M - Di - Do

'Siloam Ury Winniford' - 60 cm - HM - Di - Do

'Siloam Virginia Henson' - 45 cm - HM - Di - Do

Doubles

'Kwanso' - 75 cm - M - Di - Do - Issue de *Hemerocallis fulva*, indigène. Il existe une variété panachée dont la culture est peu répandue, car la mutation est instable et revient fréquemment au vert en cours de croissance.

'New Swirls' - 75 cm - M - Di - Do

'Three Tiers' - 60 cm - MT - Di - Do

'Jog On' - 75 cm - M - Té - Do - Il peut y avoir des fleurs simples et des fleurs doubles sur la même plante.

Voici une liste supplémentaire de variétés à fleurs doubles. Elles ne sont pas toutes vendues aux amateurs:

'Bed of Clouds'
'Betty Woods'
'Bird Land'
'Cabbage Flower'
'Chicago Firecracker': les fleurs doubles sont occasionnelles seulement.
'Classy Mama'
'Condilla'
'Double Crown'
'Double encore'
'Dragon Dreams'
'Exotic Echo Tetra'
'Fairy Firecraker'
'Fires of Fudji'
'Forty second Street'
'Frances Joiner'
'Fresh Start'
'Havana Banana'
'Highland Lord'
'King Alfred'
'Malaysian Monarch'
'Moroccan Summer'
'Pudgie'
'Royal Eventide'
'Savannah Debutante'
'Scatterbrain'
'Siloam Double Classic'
'Siloam Double Delight'
'Siloam Eye Shocker'
'Wounded Heart'
'Yazoo Johny Hughes'
'Yazoo Soufflé'

Jaune

'Across the miles' - 80 cm - HM - Di - Do

'Agreeable' - 55 cm - M - Di - Do

'Alice in Wonderland' - 80 cm - M - Di - Do

'Break Away' - 75 cm - MT - Té - Do

'Encore et encore' - 80 cm - HM - Té - Do

'Chartreuse Magic' - 90 cm - M - Di - Do

'Cool One' - 50 cm - MT - Té - Do - Jaune pâle à reflets verdâtres

'Demetrius' - 60 cm - HM - Té - Do

'Dorothy Louise' - 45 cm - M - Té - Do

'Frances Fay' - 85 cm - M - Di - Do

'Golden Chimes' - 60 cm - HT - Di - Do - Une variété «dure à cuire».

'Golden Yellow' - 75 cm - MT - Di - Do   'Golden Prize' - 65 cm - T - Té - Do

'Gorky' - 75 cm - HT - Di - Do

'Heap Good' - 75 cm- M - Di - Do

'Hyperion' - 90 cm - M - Di - Do - Encore populaire même si elle date des années cinquante.

'Jersey Spider' - 1,20 m - M - Di - Do

'Jovialiste' - 1 m - M - Té - Do

'Ochroleuca' - 65 cm - HM - Di - Do - Hybride entre
Hemerocallis citrina et *Hemerocallis thunbergii*

'Miniature Yellow' - 75 cm - M - Di - Do

'Mary Todd' - 65 cm - H - Té - SPe

'Rayon de Soleil' - 70 cm - MT - Té - Do

'Rock Canyon' - 75 cm - HM - Di - Do

'Silk and Honey' - 70 cm - M - Té - Do

'Stake Race' - 65 cm - MT - Di - Do

'Stella de Oro' - 30 cm - HM - Di - Do

'Thumbelina' - 60 cm - HM - Di - Do

'Tony Willie' - 70 cm - HM - Di - Do

'Toyland' - 60 cm - M - Di - Do

'Winnie The Pooh' - 90 cm - M - Di - Do

Mauve

'Little Wine Cup' - 70 cm - HM - Di - Do

'Sugar Candy' - 85 cm - M - Té - Do

'Dresden Beauty' - 70 cm - MT - Di - Do

'Little Wart' - 60 cm - M - Di - Do

'Chicago Orchid' - 65 cm - M - Té - Do

Orange et pêche

'Altitude' - 1,20 m - HM - Té - Do

'Banning' - 70 cm - MT - Di - Do

'Burning Daylight' - 70 cm - M - Di - Do

'Chicago Peach' - 75 cm - M - Té - SPe

'Chloé' - 75 cm - MT - Di - Do

'Commandment' - 75 cm - M - Té - Do

'Coralie' - 65 cm - M - Té - Do

'Elizabeth Spike' - 75 cm - MT - Di - Do

'Missouri Beauty' - 85 cm - HM - Di - Do

'Orange Slice' - 75 cm - M - Té - Do

'Philadelphia' - 90 cm - H - Di - Do

'Painted Lady' - 90 cm - M - Di - Pe

'Ponchitta' - 75 cm - M - Di - Do

'Ruffled Apricot' - 70 cm - HM - Té - Do

'Stage Coach' - 95 cm - M - Di - Do

'Sombrero Way' - 60 cm - MT - Té - Do

Rose

'Accepted Dare' - 65 cm - MT - Di - Do

'Airy Dream' - 60 cm - M - Di - Do

'Catherine Woodbury' - 90 cm - HM - Di - Do

'Cedar Waxwing' - 85 cm - M - Té - Do

'Cherry Cheeks' - 70 cm - MT - Té - Do

'Eventone' - 40 cm - MT - Di - Do

'Foolish Pleasure' - 50 cm - M - Di - Do

'George Caleb Bingham' - 75 cm - M - Di - Do

'Hall's Pink' - 50 cm - MT - Di - Do

'Kingston' - 75 cm - HM - Di - Do

'Lady Inara' - 75 cm - HM - Di - Do

'Melon Rice' - 70 cm - M - Di - Do

'Mateus' - 70 cm - HM - Di - Do

'Only One' - 75 cm - MT - Di - Do

'Pearl Island' - 70 cm - T - Té - Do

'Pink Damask' - 90 cm - MT - Di - Do

'Pink Lace' - 70 cm - MT - Di - Do

'Pink Prelude' - 75 cm - MT - Di - SPe

'Piquant Rose' - 90 cm - MT - Di - Do

'Prairie Belle' - 65 cm - M - Di - SPe

'Provocante' - 80 cm - HM - Té - Do

'Puff' - 75 cm - M - Di - Do

'Sing Again' - 70 cm - H - Di - Do

'Treasure Shores' - 90 cm - MT - Té - Do

Rouge foncé et rouge orangé

'Baja' - 65 cm - HM - Té - SPe

'Anzac' - 75 cm - MT - Di - Do

'Bright Dancer' - 85 cm - T - Di - Do

'Chicago Apache' - 70 cm - MT - Té - Do

'Tijuana' - 90 cm - M - Di - Do

'James Marsh' - 70 cm - HM - Té - Do

'Red Cup' - 70 cm - HM - Di - Do - Une variété «dure à cuire»

'Red Magic' - 60 cm - M - Di - Do

'Sammy Russell' - 60 cm - MT - Di - Do

Hemerocallis fulva - 1 m - HM - Di - Do - Indigène orange foncé enregistrée comme rouge

Violet

'Prairie Blue Eyes' - 70 cm - M - Di - SPe

'Purple Waters' - 65 cm - HM - Di - SPe

'Chicago Royal Robe' - 60 cm - HM - Té - Do

'Summer Wine' - 60 cm - M - Di - Do

'Wine Festival' - 75 cm - MT - Di - Do

'Chicago Silver' - 65 cm - M - Té - Do

'Siloam Royal Prince' - 50 cm - M - Di - Do

Annexe 1

Dates du début des saisons du jardinier pour 41 villes du Québec

IMPORTANT: La date du début de chaque saison a été fixée en fonction des données de l'atlas agroclimatique du Québec, publié par le MAPAQ en 1982, données qui concernent le début et la fin de la croissance des plantes et des gelées. Certaines approximations ont été nécessaires. De plus, les influences climatiques locales peuvent faire varier les dates d'une année à l'autre.

Dans toutes les villes, le Printemps 1 commence à la date approximative du début de la croissance de la plupart des plantes établie par l'atlas agro-climatique, soit lorsque les températures moyennes sont supérieures à 5 °C. Les risques de gel sont alors d'environ 90 %.

Dans les villes où la période de croissance des plantes est inférieure à 170 jours, le Printemps 2 commence à peu près à la date moyenne du dernier gel établie par l'atlas agroclimatique; environ deux semaines après cette date dans les villes où elle est supérieure à 170 jours. Il y a des risques de gelées blanches jusqu'à 15 jours après cette date.

Dans toutes les villes, l'Été commence environ trois semaines après la date du début du Printemps 2. Selon les régions, la saison commence entre le 1er juin et le 15 juillet à La Sarre, mais dans la plupart des cas, elle commence entre le 15 et le 30 juin.

Dans les villes où la période de croissance des plantes est inférieure à 170 jours, l'Automne commence environ une semaine avant la date du premier gel établie par l'atlas agroclimatique. Dans les villes où la période de croissance est supérieure à 170 jours, il commence environ deux semaines avant cette date. Il y a des risques de gelées blanches jusqu'à 15 jours avant la date du premier gel.

Dans toutes les villes, l'Hiver commence environ deux semaines après la date moyenne de la fin de la croissance des plantes établie par l'atlas agroclimatique; il correspond au moment où les températures moyennes sont inférieures à 5 °C.

VILLE	PRINT. 1	PRINT. 2	ÉTÉ	AUTOMNE	HIVER
Amos	15 mai	20 juin	10 juillet	3 sept.	30 oct.
Baie-Comeau	12 mai	8 juin	20 juin	26 sept.	24 oct.
Bonaventure	2 mai	28 mai	24 juin	26 sept.	6 nov.
Chibougamau	15 mai	20 juin	10 juillet	3 sept.	30 oct.
Chicoutimi	27 avril	5 juin	24 juin	15 sept.	6 nov.
Coaticook	17 avril	30 mai	20 juin	5 sept.	16 nov.
Drummondville	12 avril	26 mai	24 juin	11 sept.	11 nov.
Gaspé	7 mai	8 juin	30 juin	10 sept.	27 oct.
Granby	12 avril	26 mai	15 juin	20 sept.	16 nov.
Hull	12 avril	26 mai	15 juin	28 sept.	16 nov.
Îles-de-la-Mad.	25 avril	30 mai	20 juin	15 sept.	11 nov.
Joliette	12 avril	26 mai	24 juin	15 sept.	11 nov.
Jonquière	2 mai	25 mai	30 juin	10 sept.	30 oct.
La Malbaie	27 mai	17 juin	7 juillet	10 sept.	2 nov.
La Sarre	7 mai	25 juin	15 juillet	1er sept.	27 oct.
Lac-Mégantic	2 mai	10 juin	30 juin	10 sept.	11 nov.
Laval	12 avril	10 mai	1er juin	26 sept.	16 nov.
Magog	12 avril	30 mai	20 juin	15 sept.	11 nov.
Matane	2 mai	30 mai	20 juin	18 sept.	2 nov.
Montebello	12 avril	30 mai	20 juin	15 sept.	16 nov.
Montréal et env.	12 avril	10 mai	1er juin	5 oct.	21 nov.
Nicolet	12 avril	20 mai	10 juin	20 sept.	11 nov.
Québec et env.	27 avril	30 mai	20 juin	15 sept.	11 nov.
Rimouski	2 mai	30 mai	20 juin	18 sept.	2 nov.
Riv.-du-Loup	2 mai	30 mai	20 juin	10 sept.	2 nov.
Roberval	27 avril	30 mai	20 juin	18 sept.	6 nov.
Rouyn	22 avril	20 juin	10 juillet	10 sept.	5 nov.
Senneterre	27 avril	17 juin	7 juillet	2 sept.	28 oct.
Sept-Îles	10 mai	30 mai	20 juin	13 sept.	5 nov.
Shawinigan	17 avril	26 mai	16 juin	20 sept.	27 oct.
Sherbrooke	12 avril	30 mai	20 juin	15 sept.	16 nov.
St-Georges-de-B.	21 avril	10 juin	30 juin	13 sept.	2 nov.
St-Hyacinthe	12 avril	30 mai	20 juin	20 sept.	16 nov.
St-Jean-s-Rich.	10 avril	3 juin	25 juin	15 sept.	14 nov.
St-Jérôme	20 avril	26 mai	16 juin	12 sept.	9 nov.
Thetford-Mines	12 avril	30 mai	20 juin	10 sept.	6 nov.
Trois-Rivières	17 avril	26 mai	16 juin	20 sept.	11 nov.
Val-d'Or	12 mai	20 juin	10 juillet	3 sept.	30 oct.
Valleyfield	12 avril	20 mai	10 juin	26 sept.	16 nov.
Vaudreuil	10 avril	15 mai	5 juin	24 sept.	10 nov.
Victoriaville	12 avril	30 mai	20 juin	10 sept.	6 nov.

Annexe 2

Adresses utiles

American Hemerocallis Society
Catalogue, échange et vente de plants
Pat Mercer
P.O. Box 10
Dexter
Georgia 3109-0010
États-Unis

Les Jardins Osiris
Hybridation et production d'hémérocalles, iris,
hostas, pivoines
818, rue Monique, CP 489
Saint-Thomas-de-Joliette (Québec)
J0K 3L0
(514) 759-8621

Iris et Plus
Production d'hémérocalles,
iris, hostas, pivoines, astilbes
1269, route 139
CP 903
Sutton (Québec)
J0E 2K0
(514) 538-2048

Les Fines Vivaces
Production d'hostas, hémérocalles et autres vivaces
136, boul. du Pont
Saint-Nicolas-de-Bernières (Québec)
G7A 2T2
(418) 831-4617

Côté Jardin
Production de vivaces et conception
de plates-bandes mixtes
959, ch. des Ormes
L'Acadie (Québec)
J2Y 1H7
(514) 346-7269

Vivaces rustiques
Production d'hémérocalles
2400, ch. Principal
Saint-Mathieu-du-Parc (Québec)
G0X 1N0
(819) 532-3275

The Saxton Gardens
Graines d'espèces et d'hybrides
1, First Street
Saratoga Springs
New York 12866
États-Unis

Forestlake Gardens
Graines de diploïdes et de tétraploïdes
HC 72 LOW Box 535
Locust Grove
Virginia 22508
États-Unis

Jefferson Merritt
Graines d'espèces et d'hybrides
P.O. Box 200
Myrtle
Mississipi 38650-0200
États-Unis

Référence bibliographique

DAYLILIES. *A.B. Stout*, Sagapress, 1986 (réédition de la version de 1934), 145 p.

Index